UN BARCO

SINKING SHIP

HUNDIÉNDOSE

IS STILL

SIGUE SIENDO

A

UN BARCO

SHIP

Published by Burrow Press
PO Box 533709
Orlando, FL 32853
burrowpress.com

Book Design: Ryan Rivas

POD Edition, 2021.
ISBN: 978-1-941681-51-0
Library of Congress Control Number: 2019945963

A SINKING SHIP IS STILL A SHIP

poetry by Ariel Francisco

UN BARCO HUNDIÉNDOSE SIGUE SIENDO UN BARCO

translated by José Nicolás Cabrera-Schneider

BURROW PRESS | ORLANDO, FL

PRAISE FOR *A SINKING SHIP IS STILL A SHIP*

"Part satirist, part ecopoet, part elegist, but every bit a luminous poet, Ariel Francisco brilliantly voices the complex intersections of the physical, emotional, and natural landscapes that define our sense of place and belonging, as well as our feelings of alienation and ennui."

–RICHARD BLANCO
Presidential Inaugural Poet, author of *How to Love a Country*

"Reading Ariel Francisco's marvelous new book *A Sinking Ship is Still a Ship*, I think of Elizabeth Bishop's "From the Fishhouses" and her description of the ocean: "It is like what we imagine knowledge to be:/ dark, salt, clear, moving, utterly free." Francisco's second collection, so deeply concerned with water and rising seas, reveals exactly this paradox, this darkness and this freedom. Whether the poet is reflecting on translating his father's work from Spanish or driving a Miami highway or reading haiku on the beach or taking out the trash while thinking of the damaged landscape he inhabits, the world of this book is urgent and vivid and brilliantly imagined."

–NICOLE COOLEY author of *Of Marriage*

"The title *A Sinking Ship is Still a Ship* holds the secret to Ariel Francisco's sincere and quirky vision: even when all else fails, there is the matter of still being alive to ponder dilemma. Ah, yes, and to survey what is near at hand whether a flooded parking lot replete with an octopus, the usual alligator stopping traffic before waddling off into the highway brush, or the dilapidated mall left standing so the bats inside don't take over the city. You get the picture. Then there's also the unnerving observation of an arrested man's handprints evaporating off an alley wall. Quirky in its own way. But *sincere*? Isn't that a terribly old fashioned quality? You know, dear reader, it's about time to claim a bit of that back, humor and all. Enjoy."

–KIMIKO HAHN author of *Foreign Bodies*

"How could I not be a fan of Ariel Francisco's bittersweet *Floribeño* flow? Like other great books about the Sunshine State (e.g. Campbell McGrath's *Florida Poems*), this one does not shy away from its weirdness, its darkness, and its harsh ironies. Still, amid UFOs over the Everglades, the sinking utopia of Miami, and the concatenations of chain stores and lives underwater (in every sense), Francisco finds the lyric metaphysics of our embodied tropics: "How / far does someone's light travel?" When Francisco writes "Florida of all places, this great / rotting flower" he is not just brilliantly deconstructing Ponce de León's settler-colonial cluelessness; like Aimé Césaire, he is also digging deep into the pain and power of many diasporas, many crossings, including the Black and Brown histories of our fugitive Americas. Like Florida (or the Bronx), this book is beautiful yet haunted, attuned to the "strange patience of our bodies." When Francisco wonders "how / little of the ocean I can hold in / my own body before it darkens," we know we are lucky to hold in our hands this bold notebook of littorals, of many impossible returns. *¿Así se escribe "Caribe"?* A.F. is *Floribeño* a.f.!"

–URAYOÁN NOEL
author of *Buzzing Hemisphere / Rumor Hemisférico*

"The poems in *A Sinking Ship is Still a Ship* are poetry as ode to the future of hidden, buried things, be they land, soon to be overcome by rising tides and disappeared, or memories of the makeshift home that the state of Florida, and the city of Miami in particular, will have been to so many."

–ANJANETTE DELGADO
for *New York Journal of Books*

CONTENTS / CONTENIDO

I.

II.

To all my friends.

Pregúntale al mar.
—Li-Young Lee

Ask the sea.
—Li-Young Lee

I

VACACIONES DE PRIMAVERA PARA SIEMPRE

Tal vez porque esta recostándose en la
esquina aguda del Triángulo de las Bermudas
es la razón por la cual la gente no ve el crecer del mar,
una túnica mágica que desaparece lo obvio.
Quizás el sol famoso es muy
brillante y cegador, quizás
un poco de arena en los ojos
nubla su vista, un poco de sal.
¿Será que las playas están más concurridas
este año? Pronto solo habrá espacio
suficiente para que la gente se pare hombro a hombro
viendo la embestida del océano como
los que están vendados ante un paredón de fusilamiento
y aún dirán que bonita estancia,
que bello es ver toda esa agua.

SPRING BREAK FOREVER

Perhaps lounging on the long
corner of the Bermuda Triangle
is why people don't see the swell,
a magic shroud vanishing the obvious.
Maybe the famous sun is too
bright and blinding, maybe
a little sand in their eyes
blurring their vision, a little salt.
Are the beaches more crowded
this year? Soon there will only be room
enough for people to stand side by side
facing the ocean's onslaught like those
blindfolded before a firing squad,
and still they'll say how nice it is to visit,
how beautiful all that water.

CIUDAD HUNDIÉNDOSE

Más allá de ser rescatada, Miami es
un barco crucero perdido a la mar sin
botes salvavidas, de parranda toda la noche
la música y el zapateo del baile
ahogando el sonido de la infiltración del
agua—pero no, no esta perdida,
el mar sabe exactamente dónde esta.

SINKING CITY

Beyond rescue, Miami is a
cruise ship lost at sea with no
lifeboats, throwing an all-night
dance party, music and stamping feet
drowning out the sound of taking
on water—but no, not lost,
the sea knows exactly where it is.

CENANDO SOLO EN EL CENTRO COMERCIAL DE LA CALLE 163RD

De niño quería ser
el primer hombre en Marte
me imaginaba plantando las barras

y las estrellas en la cara del dios
de la guerra para que universo viera,
convirtiéndome en inmortal.

Nunca me imaginé a mis
veintiséis años después de clase
cenando en un centro comercial casi

abandonado en la calle 163rd
unas vacaciones de la búsqueda de ofertas
porque tiene un Ross y un Marshalls

entre las tiendas de contrabando,
los espacios disponibles, los rótulos de
próximamente que nunca serán.

Solo estamos el cajero de *El Florribean*
y yo, un caballero singular
que pretende ser de la corte de los restaurantes,

y mi orden hace eco por
los corredores amplios, entre el cielo
raso de los tres niveles, igual

EATING DINNER ALONE AT THE 163RD STREET MALL

As a kid I wanted to be
the first man on Mars,
pictured myself planting the stars

and stripes into the god of war's
face for all the universe to see,
becoming immortal.

I never imagined myself
at twenty-six grabbing a slapdash
dinner after class at the half-

abandoned 163rd street mall,
a break from bargain hunting because
it has both a Ross and a Marshalls

among the bootleg shops,
the vacant spaces, the *coming*
soons that will never be.

It's just me and the cashier
of *The Florribean,* the singular knight
in what passes for a food court,

and my order echoes through
the wide halls, the three-storied
ceiling the way a death-

que última cena en el pabellón
de los condenados a muerte debe de inundar
el aire rancio de su celda de concreto. Pago

con mis últimas monedas y llevo el contenedor
desechable con la comida isleña
desemparejada a la mesa rodeada

de juegos infantiles hambrientos de una moneda
una orca, tan triste como las verdaderas
marchitándose en el SeaWorld,

y más allá una brillante nave espacial
blanca con la punta resplandeciente
y una extraña voz futurística

llamando me, diciendo: «por favor
dame una moneda, por favor dame una moneda»,
por un momento yo sonrío,

considero enlatar mi cuerpo adulto
dentro del módulo de control
rodillas al pecho, los codos al ombligo

dejar que mi imaginación despegue
ascienda, atravesando la atmósfera
terrestre hasta que la luz solar

disminuya y lo único que queda
atrás es la esfera desnuda rodeada
de la negrura del espacio.

rower's last meal request
must flood the stale air
of his concrete cell. I pay

in change and take my styrofoam
container of mismatched
island food to a table surrounded

by kiddie rides hungry for coins—
a killer whale, sad as the real thing
wasting away at SeaWorld,

and beyond it a gleaming white
rocketship with a glowing top
and a strange, futuristic voice

calling out to me, saying *please*
insert coin, please insert coin,
and for a moment I smile,

consider cramming my adult body
into that tiny command center,
knees to chest, elbows tucked,

let the rocking seize my imagination
into ascent, up through the Earth's
atmosphere until the sunlight

falls away and all that's left
is the naked sphere surrounded
by the blackness of space.

Pero la constante petición de la máquina
me hace recordar que estoy condenado
a mi existencia terrícola

desgraciado por haber gastado
mis últimas monedas en el pollo jamaiquino,
arroz y frijoles, fríos.

But the machine's constant
plea reminds me that I'm doomed
to be Earthbound,

star-crossed, having spent
my last quarters on this cold
jerk chicken, rice, and beans.

CONTEMPLANDO AL PEZ LEÓN EN EL MIAMI SEAQUARIUM

El guía lentamente habla sobre la especie invasora
que viene y va en la pecera de agua salada,
que fuera de lo natural es esta escena
yo lo imagino como el hijo ilegítimo de Leo y Piscis
descartado desde las constelaciones
cayendo en la tierra con un chapoteo venenoso,
su melena de púas ponzoñosas como arpones perforando
su cuerpo y asimilado por su carne,
aletas como abanicos abiertos, impulsan su anatomía
tóxica por las aguas de este nuevo mundo de vidrio.
Las bandas por el cuerpo del mismo color que el polvo cósmico,
el par de ojos, agujeros negros, que empiezan
a atraerme, el acuario se desvanece
jalando hacia la negrura de su origen, acercándose
y acercándose en la gravedad de su mirada, hasta
que topo mi cara contra el vidrio de la pecera
dando un golpe que repercute en seco y el guía
detiene su explicación de los métodos de escape
del pulpo, girándose hacia mi, y el pez león escabulléndose
detrás de una roca, sin reconocerme después de todo.

CONTEMPLATING THE LIONFISH AT MIAMI SEAQUARIUM

The guide drawls on about the invasive species
drifting back and forth in its saltwater tank,
how unnatural it is to this environment,
and I imagine it the love child of Leo and Pisces,
discarded from the infinite fields of constellations
and fallen to Earth with a venomous splash,
its mane of poison barbs like harpoons pierced
through the body and adapted to the flesh,
fins like spired fans outspread, propelling its toxic
shape through the waters of its new glass world.
Stripes along the body, the color of cosmic dust,
twin black holes of its eyes that begin
to draw me in, the aquarium fading away,
pulling towards the blackness of its origins, closer
and closer into the gravity of its stare, until
I hit my face against the glass of the tank
with a reverberating *thunk*, and the guide
pauses her explanation of the escape methods
of octopus, turning to me, and the lionfish darts
behind a rock, not recognizing me after all.

SOBRE VER UNA FOTO DE UN PULPO EN UN EDIFICIO DE PARQUEO

Nuevamente culpan a la superluna,
la Marea Rey marchando a la guerra
contra la tierra, pero esto es nuevo: el primer
piso del edificio de parqueo se convirtió
en un atolón durante la noche y flotando
en el agua extraña hay un pulpo,
gris como la muerte, sus ocho brazos se extienden
rectos como pétalos de la rosa náutica,
extendiéndose ecuánimemente en todas
las direcciones buscando alcanzar el camino a casa.

ON SEEING A PHOTO OF AN OCTOPUS IN A PARKING GARAGE

Again they blame the supermoon,
the king tide marching out to war
with land, but this is new: the first
floor of this parking garage turned
into an atoll overnight and floating
in the strange water is an octopus,
gray as death, its eight arms spread
straight out like the points of a
compass, reaching equally in every
direction for a way back home.

IMAGINANDO A MIAMI BEACH BAJO EL AGUA

Ocean Drive es un nombre apropiado
cúmulos de huevas se aferran al borde
de la acera que poco a poco se sonroja
con el crecer de las algas, esperando
eclosionar en la protección de los bajíos.
El famoso art decó remplazado por el coral de fuego
y el pez loro, las luces de neón
restauradas por palpitantes nubes de medusa
luna, que alumbran como sábados en la noche.

IMAGINING MIAMI BEACH UNDERWATER

Ocean Drive lives up to its name,
clusters of fish eggs cling to the curb
of the sidewalk that's slowly blushing
with the growth of seaweed, waiting
to hatch in the safety of these shallows.
Famed art deco replaced by fire coral
and colorful parrotfish, neon lights
restored by pulsating swarms of moon
jellyfish, lit up like a Saturday night.

TRES HAIKUS ANTES DEL HURACÁN MATTHEW

Huracán viene:
compré lo más que pude
de ron añejo.

•

Huracán viene,
veo al Dunkin abierto
voy y regreso.

•

Huracán viene,
el agua se agotó
la lluvia trae más.

THREE HAIKU BEFORE HURRICANE MATTHEW

Hurricane warning:
bought the biggest bottle of
black rum I could find.

•

Hurricane warning,
but Dunkin Donuts is still
open—be right back.

•

Hurricane warning:
water sold out everywhere—
the rain will bring more.

LAS RUINAS DE LA IGLESIA MÁS ANTIGUA DE AMÉRICA DESCUBIERTAS EN LA FLORIDA

El huracán Matthew nos esquivó pero
jodió severamente a St. Augustine, arrancó
un centro comercial y reveló un
esqueleto de 500 años, con los
brazos cruzados sobre su pecho, la cabeza
apuntando al este, clavándole la mirada a la tormenta
que dejó al aire ventilarlo de nuevo.
¿Existe algo más Floridano
que ser enterrado bajo una iglesia
que fue enterrada por un centro comercial
que será desgarrado por un huracán
que fue nombrado igual que uno de los apóstoles?
Lo único que sé es que no quiero morir aquí
pero si eso sucede, entiérrenme tan profundo que
nadie me vuelva a encontrar. Escucha, yo sé
que no puedes escavar muy profundo en el suelo de Florida
pero por favor prométeme que cuando tu
pala rompa la última piedra caliza y
salpique agua oscura, tu seguirás escavando.

RUINS OF EARLIEST CHURCH IN AMERICA DISCOVERED IN FLORIDA

Hurricane Matthew missed us but
really fucked up St. Augustine, tore
out a shopping mall to reveal a five-
hundred-year-old skeleton, folded
arms pressed against his chest, head
facing east, staring down the storm
that let the air wash over him once
again. Is there anything more Florida
than being buried under a church that
will be buried under a shopping mall
that will be ripped open by a hurricane
named after one of the twelve apostles?
All I know is I don't want to die here
but if I do, bury me so deep that no
one ever finds me. Listen, I know you
can't dig very far into the Florida ground
but please promise me that when your
shovel breaks the final limestone and
splashes dark water, you'll keep digging.

LUNA DE COSECHA — LA MAREA CASI ALCANZA MI PUERTA

una pala de oro, en honor a Basho

La luz de la luna
bañará nuestras ciudades de
dorado relucir cuando el océano venga por su cosecha.
¿Cuánto tiempo pasará hasta que la
mañana llegue? ¿Qué tanto te marea
el agua que sube y baja? El casi
pronto se convierte en ahora ¿dónde nos alcanza?
Cuando las olas lleguen a mi
casa, haré una barcaza con la puerta.

HARVEST MOON — THE TIDE RISES ALMOST TO MY DOOR

a golden shovel, after Basho

When the ocean comes to harvest
our cities under golden moon-
light, how long will it take for the
morning to come? What will tide
you over the water that rises and rises
with a perpetuating lie? Almost
will soon become now, so where to
go from here? When waves reach my
home, I'll make a raft of the door.

PARA EL HOMBRE QUE PROMOCIONABA SU MIXTAPE EN LA ESQUINA DE BISCAYANE Y 163RD

Al inicio pretendí ignorarlo,
vista al frente, cabeceaba al ritmo de mi
música, pero él tuvo que haber reconocido
que era hip-hop lo que tronaba de
mis bocinas porque fue persistente,
inspirado mientras rapeaba en mi ventana
con sus nudillos, diciendo: *c'mon man,*
I know you want this fire—como un dios
travieso—¿Acaso no tenemos el derecho de
promocionar nuestro arte? Especialmente, él
con una pila de CDs en la mano
que brillaban como un tesoro
durante el calor atroz del verano.
Cedí, bajando la ventanilla, pregunté:
how much? Él me atrapó, lo
sabe, esa sonrisita burlona cuando
el semáforo cambia a verde y dice:
how much you got?

FOR THE MAN PUSHING HIS MIXTAPE ON THE CORNER OF BISCAYNE AND 163RD

At first I pretend to ignore him,
look forward, nod along to my own
music, but he must have recognized
that hip-hop was what bumped out of
my shit speakers because he persisted,
inspired as he rapped at my window
with his knuckles, saying *c'mon man,*
I know you want this fire like a mischievous
god—and aren't we all entitled to insist
on our art? He especially, fist full
of CDs glinting like otherworldly treasure
in this atrocious summer heat?
I relent, roll down my window, ask
how much? and he's got me, he knows
it, that smirk on his face as the light
turns green and he says *how much you got?*

PINCHANDO LLANTA EN LA AUTOPISTA JUSTO DESPUÉS DEL HARD ROCK HOTEL & CASINO

Yo odio que reconozco el sonido
de una llanta que explota, todavía sigo
aquí, apoyándome sobre el otro hombro
como un buen amigo—quizá podría ser.
El resplandecer del casino se burla de mi,
elevándose en la noche como esperanza
que rápidamente defrauda, y ensombrece
después del inicio de la estructura del
edificio en forma de guitara, lo suficientemente
grande como para que Dios la alcance
y toque un par de acordes tristes para mi.

GETTING A FLAT TIRE ON THE TURNPIKE JUST PAST THE HARD ROCK HOTEL & CASINO

I hate that I recognize the sound
of an exploding tire, yet here I am
again, leaning into another shoulder
like a good friend—it may well be.
The casino's glow mocks me,
rising into the night like hope
so quickly dashed, and shadowed
just beyond, the framed beginnings
of a new guitar-shaped building, big
enough for god to reach on down
and strum a few sad cords, for me.

JACK KEROUAC EN FLORIDA, 1957

Una noche calurosa, sales—
en búsqueda de dios, tan usual, volteas
a ver al cielo y en vez miras
a nuestra primer aeronave persiguiendo
al Sputnik ruso, rayando el cielo del este,
despegando del cercano Cape Canaveral,
brillando con más luminosidad de lo planeado
antes de desvanecer en un fracaso humeante.
Cuando regreses a Florida, tu también
morirás—pero esta noche, tu tienes tu pequeño
cuaderno en el porche, tal vez la radio
sintonizando la estación de jazz local o la narración del
despegue, tal vez encendiendo un cigarrillo
en solidaridad, uno de tus tantos gatos enrollando
su cola blanca alrededor de tu pierna como un cometa.

JACK KEROUAC IN FLORIDA, 1957

On a warm night, you step outside—
in search of god, as usual, you turn
your gaze skyward and see instead
our first rockets chasing the Russian
Sputnik, streaking across the eastern sky,
lifting off from nearby Cape Canaveral,
most shining brighter than planned
before vanishing into smokey failure.
When you return to Florida, you too
will die—but tonight, you have your small
notebook on the porch, maybe the radio
tuned to local jazz or the play-by-play
of takeoff, maybe lighting a cigarette
in solidarity, one of your many cats curling
its white tail around your leg like a comet.

NUNCA VENGAS A FLORIDA

Piensa en Ponce de León, ese idiota
que pensaba que la fuente de la juventud
era real, y peor, pensó que estaba

en Florida de todos los lugares, esta gran
flor podrida. Los nativos le dijeron
fuck you, get outta here con flechas

envenenadas cuando él trató de colonizar,
recibió una en el muslo y se dio a la retirada
hacia su fin, acostado en su espalda

mientras su barco navegaba a Cuba, observaba
las costas verdes de sus sueños
se disolvían a azul y luego se fijaban en negro.

Piensa en Bob Marley tomando
su último suspiro de aire frío
de un hospital en Miami o Jack

Kerouac vomitando sangre en
St. Petersburg después de su trago mañanero
de licor de malta y whiskey

(Tú crees que él debía
haberlo sabido mejor para entonces) o Hart Crane
de la costa del golfo, apoyándose

DON'T EVER COME TO FLORIDA

Think of Ponce de León, that idiot
who thought the fountain of youth
was real, and worse, thought it was

in Florida of all places, this great
rotting flower. The natives said
fuck you, get outta here with poisoned

arrows when he tried to colonize,
took one to the thigh and retreated
towards his end, lying on his back

as the ship sailed to Cuba, watching
the green coastline of his dreams
fade to blue and then fixed in black.

Think of Bob Marley taking
his last breath in the cold air
of a Miami hospital, or Jack

Kerouac vomiting blood up
in St. Petersburg after a pre-noon
malt liquor and whiskey

(you'd think he would've known
better by then), or Hart Crane
off the coast in the Gulf, leaning

en el riel de un bote antes de brincar
o caerse o el agua lo alcanzó y
lo tomó del cuello.

Piensa en Anna Nicole Smith, quien murió de sobredosis
en el cuarto del hotel en Hollywood, miserable
pueblillo que lleva el mismo nombre que

el de California, un hijo decepcionante.
O, el mejor de todos, piensa en Al Capone,
prueba del viejo cliché que dice

que nada es certero excepto la muerte y los impuestos—
lo último su primera defunción, y lo primero
por supuesto, lo que nos espera a todos.

piensa en su cerebro ensífilicado, agujerado
como el esqueleto de piedra caliza
de este estado que poco a poco se llena de agua.

on the rail of a boat before he jumped
or fell or the water reached up
and grabbed him by the neck itself.

Think of Anna Nicole Smith, ODed
in her hotel room in Hollywood, pitiful
little town actually named after the one

in California, disappointing child.
Or, best of all, think of Al Capone,
proof of the old cliché that nothing

is assured to us but death and taxes—
the latter his first demise, the former
of course, what waits for us all;

think of his syphilised brain, pocked
with holes like the limestone skeleton
of this state slowly filling with water.

UN POEMA SOBRE EL INSOMNIO

La noche clava estrellas en
el cielo que oscurece
como un papá componiendo
el techo después de una tormenta
mientras su hijo observa
con un poco de curiosidad.
Yo casi puedo escuchar
el martilleo con la
oreja sobre la almohada.

AN INSOMNIA POEM

Night nails stars into
the darkening sky
like a father fixing
a roof post storm
as his son watches
with tiny curiosity—
I can almost hear
the hammering,
ear against the pillow.

PARA EL HOMBRE QUE ESTA SIENDO ARRESTADO EN EL CALLEJÓN DEL AIRPORT DINER

Las centellas roja y azul
me jalan hacia el balcón—
conozco el mundo

en el que vivo, entonces tengo el teléfono
en mano, grabando mientras muchos
policías le dicen al hombre

que ponga las manos sobre
la pared. Lo reconozco
como el noctámbulo usual, con frecuencia

toma el callejón como atajo
a cualquier hora hacia
la gasolinera, saliendo

con una botella de algo
y quizá eso les esta
tratando de contar a los policías

mientras se voltea
a explicar de nuevo
hands against the wall!—

sus manos reajustándose contra
la pared blancuzca, su cabeza
volteándose en la otra dirección.

FOR THE MAN BEING ARRESTED IN THE ALLEY OF THE AIRPORT DINER

That flashing red and blue
pulls me out onto the balcony—
I know the world

I live in, so I've got my phone
in hand, recording as too
many cops tell this man

to put his hands against
the wall. I recognize him
as a usual nighthawk, often

cutting through the alley
at any hour towards
the gas station, coming

out with a bottle of something,
and maybe this is what
he's trying to tell the cops

as he turns to explain,
before, again—
hands against the wall!—

his hands readjusting against
the off-white wall, head
turning away from me.

Esto sucede una y otra vez,
su cuerpo se gira suavemente,
el ladrido en respuesta

hasta el movimiento más sutil,
las manos de vuelta a la pared,
hasta que finalmente lo enjaulan

en el asiento trasero de la patrulla
y las luces centelleantes desaparecen
en la fea oscuridad de la noche

entro de vuelta, pretendo
dormir hasta que la cafetería abre
y puedo tratar de comer, tal vez café

y camino para acercarme a ver
la impresión de sus palmas mancharon
la pared sucia como si fuera grafiti

tantas veces se repite
que si no lo hubiese visto pensaría que
innumerables hombres se han parado allí.

This happens over and over,
his body turning softly,
the barking in response

to even the smallest movement,
the hands back on the wall,
until, finally, they corral him

into the backseat of a cruiser
and the flashing lights fade
into the city's ugly darkness

and I go back inside, pretend
to sleep until the diner opens
and I can try to eat, maybe coffee,

and walking over I see
his handprints stained on
the dirty wall like graffiti

so many times over
if I hadn't seen it I would think
countless men had stood there.

CAMINANDO POR LITTLE HAVANA ANTES DEL AMANECER

De fiesta toda la noche hasta la hora confusa
donde la única luz celestial viene de
Venus preparando su alborada para la Tierra.
¿Sigo borracho? ¿O es que mi cabeza ya fue atrapada
por los dedos de acero de la resaca?
¿Tambalear hacia la cama o encontrar el desayuno?
De repente la pregunta la contesta el
olor del café cubano alzándose al aire
con la fuerza de una ballena saltando sobre el agua, tan poderoso
que medio creo que la isla se encallará en
en la costa en cualquier momento junto con la salida del sol

WALKING THROUGH LITTLE HAVANA NEAR DAWN

Out all night till the awkward hour
when the only celestial light comes from
Venus preparing its aubade to the Earth.
Am I still drunk? Or is my head already
in the steel-fingered grip of a hangover?
Stagger home to bed or find breakfast?—
Suddenly, the question is answered by
the smell of Cuban coffee rising into the air
with the force of a breaching whale, so powerful
I half expect the island itself to climb out
of the coast any minute now with the sun.

UN HAIKU ESCRITO EN UNA GASOLINERA

Palmas saludan
un hola o adiós
anda saluda.

HAIKU WRITTEN AT A GAS STATION

Palm trees are waving
hello or goodbye to you.
Don't be rude—wave back.

LA OSCURIDAD DESCENDIENDO

Hay un nuevo rumor sobre el viejo centro comercial
cerca de mi secundaria. El edificio esta tan
dilapidado que parece mantenerse de pie
a puro chisme. Esta la historia
del chico a quien le cortaron la cabeza con
una motosierra que nos mantuvo alejados
del inquietante lote cuando éramos jóvenes.
Ahora, el murmuro dice que el alcalde se muere por
botarlo y construir un Walmart o algo
de las ruinas, pero hay tantos murciélagos
anidados allí que él tiene miedo que se den un paseo
por la ciudad como una lluvia de verano.

DESCENDING DARKNESS

There's a new rumor about the old mall
near my high school, the building so
dilapidated it looks to be held up
by hearsay alone. There was a story
about a kid who got his head cut off with
a chainsaw that kept us far away from
that ominous lot when we were young—
now, word is the mayor's dying to tear
it down, build a Walmart or something
from the ruins, but there are so many bats
holed up in there he fears they'd swoop
down on the city like summer rain.

UN HAIKU PESIMISTA

Un vago dice:
El fin se aproxima.
Ya quisiera yo.

PESSIMISTIC HAIKU

A homeless man with
a sign that reads *the end is*
upon us—I wish.

MANEJANDO AL TRABAJO FRENO DE REPENTE PARA DEJAR QUE UN LAGARTO CRUCE LA CALLE

Como si necesitara el permiso de todos
para entrampar el transito con su presencia.
Las leyes no se aplican a algo tan
arcaico, cruzando la calle con la gracia
lenta de milenios sin cambios,
su denso cuerpo, pesado de tanta supervivencia
escamas de color concreto después de la lluvia.
Nadie bocina, nadie se atreve a molestar
su viaje silencioso. Un guardia de las cruces usa
su gran señal de alto para acorralar
a los pequeños estudiantes en la esquina
hasta ellos están en silencio conmocionados
por la curiosidad hasta que el lagarto
entra en la maleza, dejando nuestro mundo
como vino, encubierto por ese verdor.

DRIVING TO WORK, I STOP SUDDENLY TO LET AN ALLIGATOR CROSS THE ROAD

As if it needed anyone's permission
to clog up traffic with its presence—
laws don't apply to something so
ancient, jaywalking with the slow
grace of changeless millenniums,
its heavy body dense with survival,
scales the color of concrete after rain.
No one honks, no one dares disturb
its silent commute. A crossing guard
uses her giant stop sign to corral
the schoolchildren on the corner
but even they are shocked into quiet
curiosity until the gator enters
the underbrush, leaving our world
as it came, mystified into that green.

LEYENDO A BASHO MIENTRAS ESTABA EN UN EMBOTELLAMIENTO EN LA I-95

Inclusive en Miami
escuchando las bocinas del transito
yo añoro—*yeah right.*

READING BASHO WHILE AT A STANDSTILL ON I-95

Even in Miami,
hearing the car horns of traffic
I long for—*yeah right*.

EL OTOÑO NO EMPIEZA EN MIAMI, FLORIDA

La temperatura se rehúsa a descender
como las hojas que cuelgan cómodamente
en su verdura sin ninguna preocupación,
sin temblar en la humedad fija
los únicos árboles que gotean sus colores
son los arrancados por las tormentas
que no han sido devorados por las mandíbulas
trituradoras de las astilladoras que esperan
hambrientas como la estación que resiste el cambio.

AUTUMN DOES NOT BEGIN IN MIAMI, FLORIDA

The temperature refuses to drop
like the leaves that hang cozy
in their green without worry,
quiverless in the stilling humidity—
the only trees leaking their colors
are those yanked down by storms,
not yet introduced to the churning
jaws of waiting woodchippers,
hungry as the unbudging season.

PENSAMIENTOS MIENTRAS SACO LA BASURA

Recuerdo haber leído en algún lado
como el poliestireno vivirá más que
nosotros y que hay una isla

dos veces el tamaño de Texas
arremolinándose
en el Pacífico

hecha de toda la basura
y escombros que no
se deshacen, así como se forman

los planetas, la materia espacial
girando en la oscuridad del
universo, atrayéndose

hasta que un globo esférico comienza
a formarse. Es un continente que
nadie quiso descubrir.

sin grito de «tierra a la vista»
sin puntos de referencia con nombres de reyes
sin bahías o playas nombradas

en honor a sus fundadores, sin banderas
plantadas para declararla
en nombre de la patria. Yo me pregunto

THOUGHTS WHILE TAKING OUT THE TRASH

I recall reading somewhere
how styrofoam will outlive
us all, and that there's an island

twice the size of Texas
swirling into shape
out in the Pacific

made up of all the garbage
and debris that just won't
break down, much like how

planets are formed, space-shit
spinning in the universe's
darkness, drawing each other

in until a globbed sphere begins
to emerge. It's a continent
no one wanted to discover—

no enthusiastic *land ho!*,
no landmarks named for kings,
no bays or beaches named

after its founders, no flags
planted to declare it
for the motherland. I wonder

será lo suficientemente denso para poder caminar
o me hundiría en el intento
como en un lago medio congelado. Trato de imaginar

el olor y el escalofrío
el hedor del colector de basura
de mi apartamento me retuerce

la cara como un cangrejo ermitaño
tratando de retraerse dentro de una
concha muy pequeña, y pienso en la

isla de basura dos veces más grande
que Texas que sigue creciendo
y sobrevivirá a la humanidad

es quizás el único lugar
que yo conozco que tal vez sea
peor que Florida.

if it's dense enough to walk on
or if I would sink right through
like thin ice. I try to imagine

the smell and shudder—
the stench of my apartment's
dumpster alone makes my face

screw up like a hermit crab
retreating into a too-small
shell, and I think that twice-

Texas-sized floating trash
island that's still growing
and will outlast humanity

is perhaps the only place
I know of that's maybe
worse than Florida.

HAIKU DE UNA PARADA DE BUS

Lo dejó. Mira
sus ramas tristes llaman
al bus que se fue.

BUS STOP HAIKU

The trees have also
missed their bus—look how they wave
their many sad arms.

AGUA TRANQUILA / AGUA TODAVÍA

He sobrevivido más días con cielos grises
en esta vida que los que me gustaría contar
y duraré muchos más.
Esto lo sé. Es el cielo azul el que
me mata, el vacío que permanece
después de tal lluvia, suficiente
para flotar y flotar en él hasta
que las gotas desistan, la oscuridad
tan familiar que regresa
esa tranquilidad que me rodea
y me dice se acabo.

STILLWATER / STILL WATER

I've outlasted more gray skies
in this life than I care to count
and I will survive many more—
this I know. It's the blue that
kills me, that emptiness left
behind after such rain, enough
to float on and float on until
the drops desist, that familiar
blankness returning above,
that familiar stillness surrounds
me and tells me it's over.

305 HASTA LA MUERTE

Más augurio que orgullo, más
profecía que tributo a casa.
Yo quiero que esto, más que
nada, suene a falso, pero sigo aquí,
con los dedos en la arena. El sol
clavando su mirada en mi espalda,
como si supiera cual es mi intensión,
contando las olas como un hombre que se ahoga.
Le imploro al mar que se lleve a la ciudad o me lleve a mi,
cualquier opción funciona, pero por favor, por favor, que sea
uno o el otro.

305 TILL I DIE

More omen than pride, more
prophecy than homage to home—
I want this to ring false more
than anything, yet here I am,
toes in the sand again, sun
staring a hole into my back
as though it knows what I'm up to,
counting waves like a drowning man.
I beg the sea to take the city
or take me, either one works, but
please, oh please, make it
one or the other.

II

MI MAMÁ ME TRATA DE CONVENCER QUE LE COMPRE UNA CASA

Le digo que yo no tengo dinero
y ella me dice *that's fine, you*
don't need money to buy a house.
Le digo que mi crédito es una mierda, ella me dice
that's fine, mijo, someone will finance
you, it's the American way. Gruño,
Miami estará bajo de agua en 40
o 50 años, entonces cuál es el punto
Ella se ríe, encoje los hombros, y dice
that's fine, I'll be dead by then y—
o sea—jaque mate, ¿verdad?

MY MOM TRIES TO CONVINCE ME TO BUY HER A HOUSE

I tell her I have no money
and she says *that's fine, you*
don't need money to buy a house.
I say my credit is shit, she says
that's fine, mijo, someone will finance
you, it's the American way. I groan,
Miami will be underwater in forty
or fifty years, so what's the point?
She laughs and shrugs and says
that's fine, I'll be dead by then and—
I mean—checkmate, right?

MI PAPÁ SE FUE A CUBA Y LO ÚNICO QUE ME TRAJO FUE UNA PINCHE CAMISETA DE HEMINGWAY

Muy grande y muy fea, del mismo tono de
anaranjado que mi vieja gabacha de Home Depot.
Su gran cara cuadrada encuadrada en el centro
como el logo de un equipo, el peinado que intenta ocultar su calvicie
como las olas al Malecón
Él parece medio bolo, medio triste, y pienso
así me debo ver cuando soy rechazado por
una mujer bella en el bar. Sí,
eso debe ser lo que el bartender ve
cuando le pido la enésima *Cuba libre*,
y muerdo el gajo de limón como si fuera protector bucal.

MY DAD WENT TO CUBA AND ALL I GOT WAS THIS SHITTY HEMINGWAY T-SHIRT

Too big and too ugly, the same shade of
orange as my old Home Depot apron,
his big square face square in the middle
like a team logo, his sloppy combover
the waves that punch at the Malecón—
he looks half drunk, half sad, and I think
that's how I must look when I'm rejected
by a beautiful woman at the bar—yes,
that must be what the bartender sees
when I order my umpteenth rum & coke,
bite the lime wedge like a mouthguard.

TRADUCIENDO LOS POEMAS DE AMOR DE MI PAPÁ

siguiendo a Yusef Komunyakaa

Debió ser 1998
mi madre se iba
al trabajo, la primera noche que

ella no le da un beso de despedida
a mi papá. Él cierra la puerta
suavemente, camina despacio

a su oficina, toma el martillo
y le daba al teclado de su computadora
como si estuviera tratando de construir

algo desesperadamente, hasta
las letras salen volando
luchando para formar las palabras que

él no puede. Lo veo desde
mi quietud infantil, desapercibido,
sin saber cuanto tiempo ha pasado

hasta que se agacha con esfuerzo
sobre las teclas esparcidas, recogiéndolas
con una pequeña dosis de vacilación

TRANSLATING MY DAD'S LOVE POEMS

after Yusef Komunyakaa

It must have been '98,
my mom leaving
for work, the first night

she doesn't kiss my dad
goodbye. He closes the door
softly, walks slowly

to his office and takes a hammer
to the keyboard of his computer
as though desperately trying

to build something, until
the letters fly through the air
struggling to form the words

he cannot. I watch from
my childish quiet, unnoticed,
unsure of how much time passes

before he labors over
the scattered keys, scooping
them up with small hesitation

como un hombre colectando conchas de mar
y tratando de encontrar las parejas
en su lugar, recordando

donde va cada una
yo soy muy parecido a mi papá, por lo tanto
yo también le temo al amor,

le fallaré inevitablemente
lo maltrataré, lo dejaré caer de mis manos
muy frágil para sobrevivir intacto.

Años después, pienso en él
arqueado sobre ese teclado
el mismo que él usó

para escribir esos poemas que ahora yo
estoy traduciendo, encorvado sobre mi propia
computadora, solo en mi apartamento

sus palabras, mi herencia,
levemente presagiando—él escribe: *Hoy*
no pensaré en ti,

Hoy no
pensaré en ti. Hoy no pensaré
en ti.

like a man collecting seashells,
and striving to pop them back
into place, to remember

where each one belongs.
I am so much like my father, and so
I too fear love,

how I will inevitably fail it,
mishandle it, let it fall from my hands,
too fragile to survive intact.

Years later, I think of him
hunched over that keyboard,
the same one he used

to write the poems I'm now
translating, bent over my own
computer, alone in my apartment,

his words my inheritance,
dim foreshadowing—he writes *Today*
I will not think of you,

Today I will
not think of you, Today I will not
think of you.

EN LA VÍSPERA DEL HURACÁN MÁS GRANDE DE LA HISTORIA MI EX NOVIA ME DICE QUE ESPERA QUE YO NO ME MUERA, Y, O SEA, A MÍ QUÉ ME IMPORTA

Hay un aullido que pasa disparado
por la solitaria noche estática.
Tengo suficiente sopa enlatada
para ahogarme en ella. Mi teléfono
destella con advertencia de tornado
tras advertencia de tornado, una escolta
de destrucción baila en un radio de tres millas.
Justo ahora, se va la luz como la última exhalación
que sale después de un golpe en la boca del estómago.
Esto no me lo esperaba. Es decir tus palabras.
Las sostengo como una candela extinguiéndose.
No son lo suficiente para calentar, pero es
algo. En esta oscuridad, por lo menos me puedo
dar el gusto de esta pequeña verdad.

ON THE EVE OF THE LARGEST HURRICANE EVER RECORDED MY EX TELLS ME SHE HOPES I DON'T DIE AND, I MEAN, LIKE, WHATEVER

There's a howling that barrels
through the lonely static of night.
I've got enough canned soup
to drown myself in. My phone
lights up with tornado warning
after tornado warning, an escort
of destruction dancing around a
three-mile radius. Just now,
the power goes out like a deep
inhale after a gut-punch. This is
unexpected. Your words I mean.
I hold them like a dimming candle.
Not enough for warmth, but it's
something. In this darkness, I can
at least allow myself this one tiny truth.

LA MAÑANA DESPUÉS DEL HURACÁN IRMA

El zumbido del edificio respirando
después de que regresó la electricidad me
despierta de mi medio sueño. Las nubes
se han evacuado hacia el norte,
los árboles esparcidos en pedazos
por todo el parqueo—como las extremidades
de humanos desgarradas por un
gran ciclope—excepto las palmas
quienes con el tiempo
aprendieron a inclinarse ante los
vientos más poderosos. Pronto
los hombres de cascos y
motosierras vendrán a limpiar
lo que la madre naturaleza
no se llevó con ella. Un tronco
brinco sobre le canal, casi tan largo
como para atravesarlo a pie, la marea
alcanzó el punto más alto que yo haya visto
comiéndose el arriate. En la luz de
la mañana me pregunto como lo sacaran
del agua al notar la pila de tortugas
que se asolean sobre su corteza mojada,
tomando posesión del tronco.

MORNING AFTER HURRICANE IRMA

Hum of the building breathing
with returned power jars me
from my half-sleep. The clouds
have evacuated northward,
the trees lay in pieces across
the parking lot—like men
torn limb from limb by some
great cyclops—save for
the palms, which over time
learned how to lean in even
the strongest winds. Soon
the men with hard hats and
chainsaws will come to clean
what mother nature did not
carry with her. One trunk dove
into the canal, almost long enough
to walk across, the water risen
higher than I've ever seen, eating
at the grassy bank. In the morning
sunlight, I wonder how they'll
pull it out of the water before
noticing the heaps of turtles
basking on its soaked bark,
having already claimed it.

Y EN EL SÉPTIMO DÍA DIOS DIJO: «LO LOGRASTE COMPA»

Su pequeña barcaza se ladea y se hunde con cada uno que salta
al bajío y corren hacía la playa
recibidos con aplausos y porras en inglés y español,
doce pares de pies empiezan a secarse en la arena
mientras se saludan y se abrazan entre ellos
y los extraños que los reciben diciendo
¡Bienvenidos! ¡Bienvenidos! You made it bro!
Los bañistas les dan la ropa que llevan puesta,
el dinero de sus billeteras. Los hoteles de South Beach
les dan comida y toallas. Alguien les pregunta cuanto
tiempo estuvieron en la mar en esa barcaza. *Seis días, seis días.*
Seis días para alcanzar el sueño en el séptimo.

AND ON THE 7TH DAY GOD SAID: "YOU MADE IT, BRO!"

Their small boat tilts and dips as they jump
into the shallows and run up the beach
to applause and cheers in English and Spanish,
twelves sets of feet already drying in the sand
as they high-five and hug one another
and the strangers that greet them, calling out
Bienvenidos! Bienvenidos! You made it, bro!
Beachgoers give them the clothes off their backs,
the cash in their pockets. South Beach hotels
bring food and towels. Someone asks how long
they were at sea in that rickety boat. *Seis días,*
seis días. Six days for the dream of a seventh.

ENCONTRÉ UN HAIKU MIENTRAS LEÍA A JAMES WRIGHT

Tengo una flor
de oliva en mano
digo, tuve una.

FOUND HAIKU WHILE READING JAMES WRIGHT

I have a single
olive flower in my palm.
I mean I had one.

MANEJANDO A CASA DESPUÉS DE QUE ME PLANTARON

Eso parece dedos
saliendo de la poza
oscura de asfalto hacia
la luna que se hincha de brillo
es lo que queda de un pájaro
untado en la calle.

DRIVING HOME AFTER BEING STOOD UP

What looks like fingers
reaching from the dark
pool of asphalt for the
bright swelling moon
is what's left of a bird
smeared on the road.

UN HAIKU PARA JOHN BERRYMAN

Teniendo diez
mil lagos. ¿Por qué fue a
buscar un río?

HAIKU FOR JOHN BERRYMAN

In the land of ten-
thousand lakes, what kind of man
chooses a river?

PARA LUIS

El único soldado muerto que conozco
no murió en la guerra:
él tomó su motocicleta

desde Miami hasta Sarasota para juntarse
con otros soldados, uno con
un pick up quien se llevaría su moto, hasta

South Carolina donde ellos estaban
destacados. Se juntaron en Chili's
pidieron cervezas para emborracharse y celebrar

el fin de su vacaciones antes de su despliegue
pero después de unos tragos él empezó
a sentir la fatiga de haber manejado

y le dijo a sus amigos que se iría a
dormir en la palangana del pick up, que
lo despertaran cuando estuvieran listos. Excepto

que él se subió a la palangana de otro pick up
se durmió en revestimiento de plástico equivocado
tan bolo y tan cansado como para darse cuenta que

su moto no estaba allí, así como
el dueño del pick up debió haber estado
tan bolo o cansado para darse cuenta

FOR LUIS

The only dead soldier I know
didn't die in the war:
he rode his motorcycle

up from Miami to Sarasota to meet up
with some fellow soldiers, one with
a pickup truck to carry his bike, en route

to South Carolina where they were all
stationed. They convened at a Chili's,
ordered beers to get drunk and celebrate

the end of their leave before deployment,
but after a few drinks he began
to feel the fatigue of the long drive up

and told his pals he was going to go
sleep in the bed of the truck, to wake
him when they were ready to go. Only

he climbed into the wrong truck,
fell asleep on the warm plastic lining,
too drunk and tired to notice

his bike wasn't there, just as
the truck owners must have been
too drunk or tired to notice

que un extraño se acostó como un gatito rescatado
apenas roncando en la parte trasera y se fue manejando
en la noche sin luna. Mi amigo

debió haber pensado que ya estaba desplegado
en su sueño como paracaidista, despertando
con el rugir del viento y el cielo negro, pensando

yo no estaba entrenado para esto, confundiendo
el rugir del transito de la carretera
por el zumbido del motor del avión, aturdido

y de goma, no se detuvo chequear si llevaba
paracaídas, no cuestionó su situación
o las luces de los carros de atrás

al pararse, se agarró de la puerta de la palangana
para balancearse, se persignó
y dio un paso hacia la luz.

a stranger curled up like a rescued kitten
snoring lightly in the back and drove off
into that moonless night. My friend

must have thought he was deployed
in his sleep as a paratrooper, waking
to roaring wind and black sky, thinking

he wasn't trained for this, mistaking
the screaming highway traffic
for the drone of a plane engine, confused

and hungover, but didn't bother to check
for a parachute, didn't question the situation
or the highbeams of the trailing car

as he stood up, took hold of the tailgate
for balance, crossed himself once
and stepped into the light.

FUMANDO EL CIGARRILLO DE MI AMIGO MUERTO

Lo encontré marcando la página de una
colección de Frank O'Hara de la cual no había escuchado
mientras ayudaba a sacar tus cosas
su brillo blanco se disolvía en las páginas
que se amarilleaban. Adentrando en esta
noche cuando las horas significan
nada. Me siento en el baúl
de mi carro y enciendo un cigarrillo por primera
vez, dejo que ese túnel queme mi interior, dejo que
arda un epitafio, tosiendo un elogio en contra de mi voluntad. ¿Qué
tan lejos viaja la luz de uno?
¿A qué distancia esto que brilla en mi mano deja de ser visible?

SMOKING A DEAD FRIEND'S CIGARETTE

I found it bookmarking a Frank
O'Hara collection I hadn't heard of
as I helped clear out your things,
its faded white bright against
the yellowing pages. Deep into
this night when the hours mean
nothing, I sit down on the trunk
of my car and light up for the first
time, let that burning tunnel
through my insides, leave them
smoldering an epitaph, coughing
up a eulogy against my will. How
far does someone's light travel?
At what distance is this glowing
in my hand no longer visible?

DURMIENDO EN LA DUCHA

Estas cansado: acuéstate
sobre tu lado, arquea
tu cuerpo un poco para que la tina
se convierta en tu cuna. Deja
que el agua llegue hacia ti,
recíbela como la noche,
practica ahogarte pero
solo intenta—no te llevará
en este momento, aún no,
pero de esta manera tu sabrás
que es fría, múltiples dedos
te tocan antes de los necesites.
Escucha mientras tu cierras los
ojos y oirás
el zumbido del aire acondicionado
por debajo del salpicar del agua
cantándote a dormir, allá
arriba en algún lado como dios.

SLEEPING IN THE SHOWER

You are tired: lay down
on your side, curl your
body slightly so the tub
fits you like a cot. Let
the water come to you,
welcome it like night,
practice drowning but
only just—it won't take
you this time, not yet,
but this way you'll know
its cold, many-fingered
touch before you need to.
Listen as you close your
eyes and you will hear
the air conditioner's hum
below the ticking of water
singing you to sleep, up
there somewhere like god.

LEYENDO A HART CRANE EN NAPLES

Yo también he visto para abajo desde
el Brooklyn Bridge y debo
decirte que mi reflejo es
el mismo que en las aguas
del Gulf—es decir
distorsionado, inalcanzable en su
ondulación. La gente siempre pregunta
saltaste o te caíste, una pregunta de agencia o intención—
Yo se que las aguas nunca
te preguntaron, a las aguas nunca les importó.

READING HART CRANE IN NAPLES

I too have looked down from
the Brooklyn Bridge and must
tell you: my reflection is just
the same here in the waters
of the Gulf—that is to say
distorted, unreachable in its
rippling. People always ask
did you leap or did you fall,
a question of agency, intent—
I know the water never asked
you this, the water never cared.

PENSANDO QUE VI A UN OVNI SOBRE LOS EVERGLADES

Manejando a través del estado por el Alligator Alley
regresando a casa después de un error—a estas horas de la noche,
a esta distancia de las luces de la ciudad, una raya cortando
la noche con estrellas desparramadas podría ser cualquier cosa:
un meteoro desgastándose hasta la nada
en el calor de la atmósfera, una estrella fugaz
despegándose del cielo falso del cuarto de la niña Tierra
y derramándose en una pila color ceniza;
un avión de forma extraña viajando muy bajo,
muy rápido, o… Yo me orillo de todas maneras,
apago las luces, me salgo del carro y miro
para arriba con esperanza, una viaja maña. No estoy diciendo
que yo creo, solo estoy diciendo que mis ganas de dejar
este lugar tan cargado nunca han sido tan fuertes.

THINKING I SEE A UFO OVER THE EVERGLADES

Driving cross-state through Alligator Alley
heading home from a mistake—this late,
this far from city lights, a streak slashing
the star-strewn night could be anything:
a meteor wearing itself out into nothing
in the heat of atmosphere, shooting star
come loose from Earth's childhood ceiling
and drifting down in a cold, ashen heap;
an oddly shaped plane flying a little too low,
a little too fast, or . . . I pull over anyway,
cut my headlights, step outside and look
up in hope, an old habit. I'm not saying
I believe, I'm just saying my urge to leave
this watered place has never been stronger.

QUIERO SER TAN LIBRE COMO EL TAPACUBOS QUE ACABA DE SALIR CHISPADO DE MI LLANTA EN LA 826 Y ATRAVESÓ ILESO CUATRO CARRILES DE TRANSITO

¿Será eso mucho que pedir? Ahora,
en mi retrovisor, se ha detenido
en la grama suave de la mediana,
como los campos de ensueño que dicen
uno ve al borde de una muerte
apacible. Cayendo boca arriba, viendo hacia
el cielo como un niño descifrando
las nubes, nada mejor que hacer:
Esa se mira como un castillo desmoronándose.
Esta parece como si dios esta sonriendo.

I WANT TO BE AS FREE AS THE HUBCAP THAT JUST FELL OFF MY TIRE ON THE 826 AND TRAVERSED FOUR LANES OF TRAFFIC UNSCATHED

Is that too much to ask? Now
in my rearview it comes to a stop
in the gentle grass of the median
like the dream-fields one's said
to see on the cusp of a peaceful
death. Falling faceup, looking
skyward like a child deciphering
the clouds, nothing better to do:
that one looks like a crumbling castle,
this one looks like god smiling down.

LEYENDO A LI PO EN DANIA BEACH

El sol se tropieza en el canal intercostero
como el borracho que arrastra los pies en el muelle
luego se cae al agua fría
que refleja el cielo color vino tinto
mientras la luna sale flotando de la grieta
donde el océano se adhiere a la noche, fría
y sobria, meciéndose, un cráneo reluciente.

READING LI PO ON DANIA BEACH

The sun stumbles into the intercoastal
like a drunkard toeing the docks,
then slips into the cold waters
that reflect the wine-colored sky
as the moon floats out of the crevice
where ocean adheres to night, cold
and sober, a bobbing, gleaming skull.

UN POEMA ESCRITO MIENTRAS ESPERABA UN GRAN RATO EN EL SEMÁFORO

Matas de garranchuelo creciendo
sobre el techo de la gasolinera
abandonada de la esquina—Yo me imagino
con un sombrero de paja, podándola
sin la más mínima preocupación del mundo.

POEM WRITTEN WHILE WAITING TOO LONG AT A RED LIGHT

Clusters of crabgrass growing
on the roof an abandoned
corner gas station—I picture
myself in a straw hat, mowing
it without a care in the world.

ENCONTRANDO UN RASPADITO DE LA LOTERÍA EN UNA COPIA USADA DEL LIBRO: POEMAS SELECTOS DE FRANK STANDFORD

Quizás fue un regalo no intencionado del
vendedor, un marca páginas olvidado,
guardando la página 49: *Living with Death.*
Quizás un jugarreta de Frank, enviado
desde el otro lado de su acuoso paisaje
lunar. El boleto morado grita
Win up to $250,000 mientras la moneda
pasa raspándolo, develando un perdiste tras
otro perdiste, su inutilidad se completa
antes de que termine de fantasear que
haría con tanto dinero. Los muertos son desafortunados—
claro—pero hablando por los vivos,
no nos va muy bien también.

FINDING A SCRATCH-OFF LOTTERY TICKET IN A USED COPY OF FRANK STANDFORD'S SELECTED POEMS

Maybe an unintentional gift from
the seller, forgotten as a bookmark,
saved to page 49: *Living with Death*.
Maybe a prank from Frank, sent
from the watery moonscape of his
Otherside. *Win up to $250,000* shrieks
the purple ticket as my quarter slides
across its surface revealing loss
after loss, its worthlessness become
whole before I can even finish
fantasizing about what I'd do with
all that money. The dead are unlucky—
sure—but, speaking for the living,
we aren't doing much better either.

VIENDO AVIONES DESPEGAR TARDE EN LA NOCHE MIENTRAS ESTABA BAJO EL EFECTO DE HONGOS

El cielo un azul eléctrico siendo jalado
a la oscuridad tengo mucho me miedo como
para verlo directamente con estas pupilas
separadas como puertas de elevador averiadas.
Mi hermano trata de guiarme pero mi teléfono
se vuelve tan luminiscente que no puedo leer sus
mensajes, brillando a punto de
explotar. En vez, yo veo los aviones,
sus múltiples luces se fusionan en una mancha
verde que se asemeja a una oruga larga
arrastrándose en la fachada azul del cielo,
que se cansó de esperar las alas.

WATCHING PLANES TAKE OFF IN LATE EVENING WHILE HIGH ON SHROOMS

The sky an electric blue being pulled
into a blackness I'm too scared to
look into directly with these pupils
pried wide like busted elevator doors.
My brother tries to guide me but my
phone grows too bright to read his
messages, a glowing on the cusp of
explosion. Instead, I watch the planes,
their many lights coalescing a smudged
green so they resemble long caterpillars
crawling up the blued facade of the sky,
grown tired of waiting for wings.

DOS INSOMNES UN DOMINGO EN LA NOCHE

Quienquiera que recorra
el callejón, arrastra unos
pies tan pesados, como si
estuvieran encadenados
por todas las horas sin
dormir del mundo.

TWO INSOMNIACS ON A SUNDAY NIGHT

Whoever wanders
the alley drags such
heavy feet, as though
shackled by all the
world's unslept hours.

OTRA NOCHE SIN DORMIR

Un profesor una vez me dijo que
un montón de pájaros muertos aparecen
en mis poemas, y yo quisiera

poder agregar otro aquí,
pero este vive (por ahora)
para atormentarme, nuevo en este

vecindario, pasando sus
noches en los postes eléctricos
brotando del callejón

—donde los vagos y los bolos
andan a cualquier hora
pero nunca duermen allí—

aparentemente chirriando en ritmo
perfecto con las palpitaciones rápidas
de su corazón diminuto (como si tuviera uno).

Quizás es un ruiseñor, quizás
es Keats reencarnado, regresando
para cantar todas sus palabras suprimidas

excepto que ya no son palabras,
no después de este largo rato, solo son
sonidos agudos que abren agujeros

ANOTHER SLEEPLESS NIGHT

A professor once told me
a lot of dead birds appear
in my poems, and I wish

I could add another here,
but this one lives (for now)
to torment me, new to this

neighborhood, spending his
nights on the electrical poles
sprouting from the alley

—where the bums and drunks
trudge through at any hour
but never sleep in—

seemingly screeching in perfect
rhythm with the rapid beating
of his tiny heart (if he has one).

Maybe he's a nightingale, maybe
he's Keats reincarnated, returned
to sing all his choked-down words

except they aren't words anymore,
not after this long, they're just
sharp sounds that poke holes

en mi sueño, no son precisamente música
yo tambaleo hacia mi balcón,
cansado y enojado, y busco

en los alambres el pájaro, paneando
a través del callejón con cada
maldito trinar, pero solo veo

el brillo del neón rosado en la orilla
del Airport Diner todavía acechando
el callejón—cerró de pronto.

Yo solía saber cuando empezaba
el verano al escuchar a los dos hijos
del dueño jugar con una pelota

el más viejo molestando silenciosamente
a su hermano menor quien se
quejaría lo suficientemente recio para despertarme

de mi intento de
siesta de la tarde, entonces en vez
yo los observaba por un momento

desde cuatro pisos arriba, tentado
de gritarles que se callaran
pero lo suficiente inteligente para darme cuenta

que sus padres no podían costear
a una niñera. En días lluviosos
cuando me sentaba en la barra

los veía ellos en la mesa de la esquina,
más callados, uno con un libro, el otro
con un Game Boy antiguo.

in my sleep, not quite music.
I stagger out onto my balcony,
tired and angry, and scan

the wires for the bird, sweeping
across the alley with every
damned chirp, but see only

the neon pink glow on the trim
of the Airport Diner still haunting
the alley—it closed suddenly:

I used to know when summer
started by the sound of the owner's
two sons throwing a ball around,

the older one silently teasing
his little brother who would
complain loud enough to wake

me from my attempted
afternoon naps, so instead
I would watch them for a while

from four stories up, tempted
to yell at them to shut up,
but smart enough to realize

their parents couldn't afford
a babysitter. On rainy days
when I'd sit at the counter

I'd see them in a corner booth,
quieter, one with a book, the other
with an ancient Game Boy.

La mesera me traería
mi desayuno sin
pedir mi orden sin importar

la ubicación del sol en el cielo,
sirviéndome más café mientras ella coquetea
con una desesperanza extraña

que es lo que yo siento ahora,
entrando de vuelta a buscar
un puñado de monedas para tirarle

a este maldito pájaro
sabiendo lo improbable
que es que yo acierte,

escuchando su risa aguda
mientras que mis monedas
rebotan en los postes de electricidad

y transformadores y caen
sobre el concreto como
minutos perdidos, horas perdidas—

como mínimo, estoy feliz
que estos niños no estarán allí
mañana en el sol

para verme aturdido por
el callejón callado, recolectando
mis monedas para la siguiente noche.

The waitress would bring
my breakfast without
taking my order regardless

of where the sun was in the sky,
refilling my coffee as she flirts
with a strange hopelessness,

which is what I feel now,
sliding back inside for a
fistful of coins to throw

at this goddamn bird
knowing how unlikely
it is that I'll hit him,

hearing his shrill laugh
as my pennies and quarters
clink off the electrical poles

and transformer and trickle
down to the concrete like
lost minutes, lost hours—

at the very least, I'm glad
those kids won't be out there
tomorrow in the sunshine

to watch me grog through
the quiet alley, collecting my
change for another night.

PAUL CELAN FLOTÓ ONCE DÍAS EN EL RÍO SENA ANTES DE QUE LO ENCONTRARAN

una pala de oro siguiendo un pasaje la biografía de Friedrich Hölderlin que Celan tenía abierta en su escritorio a la hora de su muerte

A veces la primavera no trae cambio, ocasionalmente
el pesar del aire se cuela en este
vivir poco a poco hasta que el genio
del mecanismo del corazón se
cansa y reseca y oscurece
alentando los pasos que lo acercan a la orilla del mar y
miran hacia el agua. Aunque se ahoga
eventualmente en la mente o en
los bajíos; el
extraño sosiego de nuestros cuerpos, amargo
bajo el paseo constante del sol. Un pozo
profundo con su cubeta astillada de
esperanza seca recostada en su profundidad, su
último sacar agua. ¿Esto explica tu corazón?

PAUL CELAN FLOATED IN THE SEINE FOR ELEVEN DAYS BEFORE HE WAS FOUND

a golden shovel after an underlined passage from Friedrich Hölderlin's biography that Celan had open on his desk at the time of his death

Sometimes spring brings no change, sometimes
the air's heaviness sieves into this
life little by little until even the genius
mechanism of our hearts goes
tired and torrid and dark,
slowing like footsteps approaching shore and
staring into the water. All thought drowns
eventually, whether in mind or in
the shallows; the
strange patience of our bodies, bitter
under the sun's constant passage. A deep well
with his splintered bucket of
dried hope lying at its depth, his
last empty draw. Does this explain your heart?

POEMA ESCRITO EN EL PARQUEO DE UN ESTUDIO DE TATUAJES MIENTRAS ESPERABA MI CITA

El sol se oculta como un hombre saliendo de trabajo diurno
para llegar a su trabajo nocturno a tiempo. Oh, ¿yo?
En busca de cualquier clase de permanencia,
sentado en mi carro, viendo la luz inestable
desangrarse en el horizonte, escuchando
a los minutos disiparse como el humo en la nada.
Nada permanece en este mundo—es conocido—
pero aún yo sangraré en rebeldía necia.

POEM WRITTEN IN THE PARKING LOT OF A TATTOO SHOP WHILE WAITING FOR MY APPOINTMENT

Sun sets like a man leaving his day job
to get to his night job on time. Oh, me?
I'm in search of any kind of permanence,
sitting in my car, watching the unreliable
light bleed out on the horizon, listening
to the minutes drift like smoke into nothing.
Nothing stays in this world—it is known—
yet I too will bleed in foolish defiance.

JA, ESTE TAMBIÉN ES SOBRE EL INSOMNIO

Mi cama es una iglesia sin dios
pero aún yo rezo allí todas las noches.
¿Seré un tonto? Yo casi puedo escuchar
a otros creyentes en sus esquinas
remotas, la pequeña inhalación
de sus manos cuando se separan.

HA, THIS ONE'S ABOUT INSOMNIA TOO

My bed is a godless church
yet I still pray there every night.
Am I a fool? I can almost hear
other worshippers in their far-
off corners, the small breath
of their hands unclasping.

ENCONTRÉ UN HAIKU MIENTRAS LEÍA A AIMÉ CÉSAIRE

Lo único que
vale comenzar es el
fin del planeta.

FOUND HAIKU WHILE READING AIMÉ CÉSAIRE

The only thing in
the world that's worth beginning:
the end of the world.

EL MAR PUEDE TOLERAR CUALQUIER COSA — YO NO

siguiendo a James Wright

¿Cómo es que algo tan grande no
proyecte una sombra? El mar contiene su propia
oscuridad—Yo contengo mi propia respiración
cuando nadie más lo hará, sumerjo mi cabeza
debajo del agua, cierro mis ojos.
Yo no necesito ese ardor para decirme
que tan fácilmente me consumirá, que
tan poco océano puedo contener
en mi cuerpo antes de que se oscurezca.

THE SEA CAN STAND ANYTHING — I CAN'T

after James Wright

How can something so large cast
no shadow? The sea holds its own
darkness—I hold my own breath
when no one else will, dip my head
below the water, close my eyes.
I don't need that sting to tell me
how easily I will be consumed, how
little of the ocean I can hold in
my own body before it darkens.

ABOUT THE TRANSLATOR / SOBRE EL TRADUCTOR

José Nicolás Cabrera-Schneider is a Guatemalan writer and translator. His novels include *El Detective Juan B'atz': El Tigre* (Editorial Cazam Ah, 2019) y *El Detective Juan B'atz': Tarjeta Roja* (Editorial Cazam Ah, 2017). One of his short stories colections is *Cuéntame tu día* (Editorial Cazam Ah, 2016). Also, his poetry has been selected for anthologies and itinerant art installations. Nicolás lives in New Orleans.

José Nicolás Cabrera-Schneider es un escritor y traductor guatemalteco. Sus novelas incluyen *El Detective Juan B'atz': El Tigre* (Editorial Cazam Ah, 2019) y *El Detective Juan B'atz': Tarjeta Roja* (Editorial Cazam Ah, 2017). Una de sus colecciones de cuentos cortos es *Cuéntame tu día* (Editorial Cazam Ah, 2016). Además, su poesía a sido incluida en antologías e instalaciones de arte itinerante. Nicolás vive en New Orleans.

ABOUT THE AUTHOR / SOBRE EL POETA

Ariel Francisco is the author of the poetry collections *A Sinking Ship is Still a Ship* (Burrow Press, 2020) and *All My Heroes Are Broke* (C&R Press, 2017). A poet and translator born in the Bronx to Dominican and Guatemalan parents and raised in Miami, his work has appeared or is forthcoming in *The Academy of American Poets*, *The American Poetry Review*, *The New Yorker* and elsewhere. He lives in Queens.

Ariel Francisco es el autor de las colecciones de poesía *Un barco hundiéndose aún es un barco* (Burrow Press, 2020) y *Todos mis héroes están rotos* (C&R press, 2017). Ariel es un poeta y traductor nacido en el Bronx de padres dominicanos y guatemaltecos, y creció en Miami. Sus escritos han sido publicados o están por publicarse en *The Academy of American Poets*, *The American Poetry Review*, *The New Yorker* y demás. Él vive en Queens.

ACKNOWLEDGMENTS

Thank you's: Thank you to T.C. Jones and Ryan Rivas for saving this book and taking a chance on it; thank you to Denise Duhamel and Campbell McGrath for your endless guidance and inspiration; thank you to everyone at Florida International University's MFA program; thank you always to my dear friends Maddie Barnes, Marci Calabretta Cancio-Bello, Carlie Hoffman, Devin Kelly, and Nadra Mabrouk for your honesty, advice, and always being there for me.

Grateful acknowledgment is made to the following literary magazines and entities where some of these poems first appeared, sometimes in earlier forms:

Acentos Review: "My Dad Went to Cuba and All I Got Was this Shitty Hemingway T-Shirt," "Ruins of Earliest Church in America Discovered in Florida"

The American Poetry Review: "Translating My Dad's Love Poems"

BOAAT: "Finding a Scratch-Off Lottery Ticket in a Used Copy of Frank Standford's Selected Poems"

Breadcrumbs: "Autumn Does Not Begin in Miami, Florida"

Brooklyn Poets: "Paul Celan Floated in the Seine for Eleven Days Before He was Found"

Burrow Press' *Fantastic Floridas:* "Spring Break Forever"

Cotton Xenomorph: "Thinking I See a UFO Over the Everglades"

Crab Fat Magazine: "Thoughts While Taking Out the Trash"

Credo: An Anthology of Manifestos & Sourcebook for Creative Writing: "For the Man Pushing His Mixtape on the Corner of Biscayne and 163rd"

Drunk Monkeys: "Getting a Flat Tire on the Turnpike Just Past Hard Rock Hotel & Casino," "For the Man Being Arrested in the Alley of the Airport Diner," "I Want to be as Free as the Hubcap that Just Fell Off My Tire on the 826 and Traversed Four Lanes of Traffic Unscathed," "Morning After Hurricane Irma," "Poem Written While Waiting Too Long at a Red Light"

ELKE: A Little Journal: "Found Haiku While Reading James Wright," "Reading Li Po on Dania Beach"

The Ellis Review: "Descending Darkness"

Five:2:One: "Pessimistic Haiku," "Reading Basho While at a Standstill on I-95," "Stillwater/Still Water"

Fjords Review: "Walking Through Little Havana at Dawn"

The Florida Review: "On the Eve of the Largest Hurricane Ever Recorded, My Ex Tells Me She Hopes I Don't Die and, I Mean, Like, Whatever"

Inspicio: "On Seeing a Photo of an Octopus in a Parking Garage"

The Journal: "Haiku for John Berryman," "Reading Hart Crane in Naples," "Sleeping in the Shower"

O, Miami: "Bus Stop Haiku," "Haiku Written at a Gas Station"

Origins Literary Journal: "Thinking I See a UFO Over the Everglades"

Pacifica Literary Review: "Watching Planes Take Off in Late Evening While High on Shrooms"

Pittsburgh Poetry Review: "Contemplating the Lionfish at Miami Seaquarium"

Print Oriented Bastards: "For Luis"

Public Pool: "Imagining Miami Beach Underwater," "Sinking City"

Reality Beach: "305 Till I Die," "Awaking With a Hangover, I Look Out the Window"

Redivider: "Smoking a Dead Friend's Cigarette"

Reservoir: "Don't Ever Come to Florida"

Saw Palm: "Driving to Work, I stop Suddenly to Let an Alligator Cross the Road," "The Sea Can Stand Anything— I Can't"

Scalawag Magazine: "Eating Dinner Alone at the 163rd Street Mall," "My Mom Tries to Convince Me to Buy Her a House"

Sinking City: "Three Haiku for Hurricane Matthew"

Split Lip Magazine: "Another Sleepless Night"

Small Orange: "Driving Home After Being Stood Up"

Tinderbox Poetry Journal: "And on the 7th Day God Said: You Made It Bro," "Poem Written in the Parking Lot of a Tattoo Shop While Waiting for My Appointment"

CPSIA information can be obtained
at www.ICGtesting.com
Printed in the USA
BVHW080923010223
657531BV00009B/567